Keiko K

Une ma_____
pour Choco

Kaléidoscope
lutin poche de l'école des loisirs
11, rue de Sèvres, Paris 6e

Pour Bela et Ange
et pour tous les enfants
qui ont trouvé leur madame Ourse

ISBN 978-2-211-04228-4
Traduit de l'américain par Isabel Finkenstaedt
© 1996, l'école des loisirs, Paris, pour l'édition dans la collection « lutin poche »
© 1989, Kaléidoscope, Paris, pour l'édition en langue française
© 1992, Keiko Kasza
Titre original : « A Mother for Choco », (G. P. Putnam's Sons, The Putnam & Grosset Book Group)
Publié à l'origine sous une forme différente au Japon par Saera Shobo (Librairie Çà et Là)
Loi numéro 49 956 du 16 juillet 1949 sur les publications
destinées à la jeunesse : octobre 1996

Dépôt légal : novembre 2007
Imprimé en France par Mame à Tours

Choco était un petit oiseau qui vivait tout seul.
Il aurait bien voulu une maman, mais il ne savait pas
à quoi elle pouvait ressembler.
Un jour, il se mit en tête d'aller la chercher.

D'abord il rencontra madame Girafe.
«Oh, madame Girafe!» s'écria-t-il.
«Vous êtes jaune, tout comme moi!
Est-ce que vous êtes ma maman?»
«Je suis désolée»,
soupira madame Girafe,
«mais je ne suis pas comme toi.
Je n'ai pas d'ailes.»

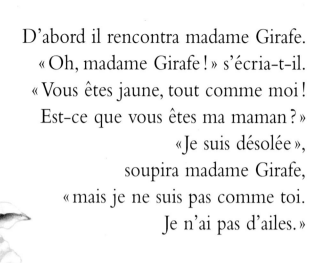

Ensuite Choco rencontra madame Pingouin
«Oh, madame Pingouin!» s'écria-t-il.
«Vous avez des ailes, tout comme moi!
Est-ce que vous êtes ma maman?»
«Je suis désolée», soupira madame Pingouin
«mais je ne suis pas comme toi. Je n'ai pas
de bonnes grosses joues.»

Puis Choco rencontra madame Morse.
«Oh, madame Morse !» s'écria-t-il. «Vous avez
de bonnes grosses joues, tout comme moi !
Est-ce que vous êtes ma maman ?»
«Écoute», grommela madame Morse, «je ne suis pas
comme toi. Je n'ai pas des pattes rayées, alors
ne m'embête pas !»

Choco avait beau chercher,
il n'arrivait pas à trouver une maman
qui lui ressemble tout à fait.

Quand Choco vit madame Ourse en train
de cueillir des pommes, il sut qu'elle n'était pas
sa maman. Madame Ourse ne lui ressemblait
vraiment pas du tout.

Choco se sentit tellement triste qu'il se mit à pleurer.
«Maman, maman! J'ai besoin d'une maman!»
Madame Ourse accourut. Elle demanda à Choco
pourquoi il pleurait, et quand il eut raconté son histoire,
elle soupira: «Mon pauvre petit! Si tu avais une maman,
que ferait-elle?»

«Je suis sûr qu'elle me prendrait dans ses bras»,
dit Choco en sanglotant.
«Comme ça?» demanda madame Ourse.
Et elle serra Choco très fort contre elle.

«Oui… et je suis sûr aussi
qu'elle m'embrasserait!» dit Choco.
«Comme ça?» demanda
madame Ourse.
Et elle souleva Choco
pour lui donner
un gros bisou.

«Oui… et je suis sûr qu'elle chanterait
et danserait avec moi
pour que je ne sois plus triste», dit Choco.
«Comme ça?» demanda madame Ourse.
Et ensemble ils se mirent à chanter et danser.

Quand ils s'arrêtèrent pour reprendre leur souffle,
madame Ourse se tourna vers Choco et lui dit :
« Choco, je pourrais peut-être devenir ta maman. »
« Toi ? » s'écria Choco.

«Mais tu n'es pas jaune. Et tu n'as pas d'ailes, ni de bonnes grosses joues, ni des pattes rayées comme moi!»

«Heureusement!» dit madame Ourse. «Sinon, j'aurais vraiment une drôle d'allure!»

Choco trouva l'idée effectivement très drôle.

« Tu sais », dit madame Ourse,
« mes autres enfants m'attendent
à la maison. Je vais leur préparer
une tarte aux pommes.
Veux-tu la partager avec nous ? »
Choco se laissa tenter
par la tarte aux pommes
et ils se mirent en route.

Quand ils arrivèrent à la maison
de madame Ourse, ses autres enfants
coururent l'embrasser.
« Choco », dit madame Ourse,
« je te présente Hippie, Allie
et Porkie. Je suis aussi
leur maman ! »

Les enfants se mirent à jouer et à rire.
Bientôt une bonne odeur de tarte aux pommes
emplit la maison de madame Ourse.

Après le délicieux goûter, madame Ourse
prit tous ses enfants dans ses bras
pour leur faire un gros câlin d'ours.
Choco était très heureux que sa nouvelle maman
soit exactement comme elle était.